Omslag en illustraties: Nynke Mare Talsma
Zetwerk en opmaak: CMS Belgium nv, Tongeren
Druk: Hooiberg, Epe, Nederland

© 2003 Bakermat Uitgevers - Mechelen
Voor Nederland: 2004 Zirkoon uitgevers - Amsterdam

AVI 2

ISBN 90 5924 251 3
D/2003/6186/07
NUR 287

Luk Depondt

Ik durf best alleen!

Tekeningen: Nynke Mare Talsma

kom kol! kom nou!
ma eend roept hard.
ze zwemt heen en weer.
haar ogen kijken boos.
heel boos.
nu moet kol wel in het water.

kol zwemt naar ma.
hij wil dicht bij haar zijn.

maar ma eend zegt:
zwem toch alleen!
kijk naar je broer en zus.
kijk eens hoe flink die zijn!

ma eend zwemt weg.
vlug. veel te vlug.

kol stapt uit het water.
hij rent naar zijn boom.
zijn boom met takken
tot op de grond.

kol zit onder zijn boom.
hij wacht.

kijk!
wat is dat?
daar!
aan de kant van de vijver!
is dat geen kroos?
een, twee, drie, vier,
vijf, zes, zeven, acht
blaadjes kroos.

kol rent er heen.
pik! pik! pik! pik!
pik! pik! pik! pik!
lekker!

heel lekker?
nee.
want echt lekker kroos
vind je alleen ver van de kant.
dat zeggen broer en zus.
maar zo ver
is kol nog nooit geweest.

kwaak, kwaak!
wat hoort kol?
dat is pa eend.
kwaak, kwaak!
daar zijn de zwanen!
kwaak, kwaak!
kom vlug hier!

nu ziet kol ze ook.
twee grote zwanen.
ze hebben een lange hals
en een rare knobbel op hun bek.
ze kijken recht voor zich uit.
net of ze boos zijn.

broer en zus zwemmen vlug
naar pa en ma.

kol kijkt toe van onder
zijn boom.
oef, de zwanen blijven ver weg.
maar goed ook!

kol wacht.
hij wacht onder zijn boom.

kol zit stil.
hij maakt zich klein.
poten onder de buik.
buik tegen de grond.
bek tegen de veren.
stil en klein onder zijn boom.

kol heeft het koud.
geen warme pa of ma.
geen zachte broer of zus.
nee.
kol zit alleen.
alleen op de harde grond.

kol wacht,
wacht
en wacht.
hij wacht lang.
heel lang.

daar komen ze terug.
pa, ma, broer en zus.

mm, wat was het kroos lekker!
juicht broer.
ach, kol weet niet eens
hoe lekker kroos is!
spot zus.

kom, kol.
ik heb wat kroos voor je,
kwaakt ma.
maar dit is de laatste keer.
morgen ga je zelf!

kol zegt niets.
hij zwijgt.
hij eet het kroos op.
traag.
heel traag.

het kroos smaakt niet lekker.
want ma is boos.
en broer en zus lachen om hem.
stom hoor!

het is donker boven de vijver.
broer en zus slapen.
kol slaapt niet.
zijn lijfje gaat vlug op en neer.
zijn hart klopt in zijn keel.

pa en ma eend slapen ook niet.

wat zijn broer en zus al knap!
zegt ma.
ja, kwaakt pa.
het zijn al flinke eenden!

maar kol durft niets,
zegt ma.
nee, klaagt pa.
kol wordt nooit een flinke eend.

als kol dat hoort,
klopt zijn hart nog vlugger.

pas als pa en ma
al heel lang slapen,
valt ook kol in slaap.

kwek, kwek, kwek!
zus komt eraan.
ze slaat met haar vleugels.
kwek, kwek, kwek!
kom ma!
kom pa!
kom broer!
kom zien hoeveel kroos!
kwek, kwek!
kom mee naar **die** kant
van de vijver!

en daar gaan ze.

kom kol! kom nou mee!
roept pa eend.
maar niemand wacht op kol.

ma, pa, broer en zus
zwemmen weg.
ze zwemmen vlug.
veel te vlug.

kol zit onder zijn boom.
poten onder de buik.
buik tegen de grond.
bek tegen de veren.

waarom wachten ze nooit
op mij?
huilt kol.
waarom mag ik niet dicht
bij ma of pa?
dan durf ik wel!

maar... de vijver is rond.
ik kan **rond** de vijver **stappen**!
zo kom ik ook aan **die** kant.
zo kom ook ik bij het kroos!

kol staat op.
stap, stap, stap.
hij stapt weg van zijn boom.
stap, stap, stap.
dag boom!

stap, stap, stap.
wat is alles hier anders.
anders dan bij zijn boom.
de bomen zijn anders.
de vijver is anders.

stap, stap... stop!
is dit nog wel mijn vijver?
waar is mijn boom?
help!
waar ben ik?

kol weet het niet.
hij durft niet meer verder.

kol zit stil.
poten onder de buik.
buik tegen de grond.
bek tegen de veren.
de ogen dicht.
heel dicht.

je zit hier zo alleen...

wat hoort kol?
hij doet zijn ogen open.
hij ziet... een zwaan.
een grote, witte zwaan.

de stem van de zwaan klinkt
niet hard, maar zacht.
haar ogen kijken
niet boos, maar lief.

ik... wil kol zeggen.
maar plots moet hij hard huilen.

wat is er toch met jou?
zegt de zwaan.

kol vertelt.
dat hij niet in het water durft.
dat pa en ma nooit wachten.
dat hij geen flinke eend is.

de zwaan is stil
en luistert naar kol.

durf jij met mij in het water?
vraagt de zwaan plots.

kol schrikt:
samen met de zwaan?
durf ik dat wel?

mag ik heel dicht bij jou?
vraagt kol.
ja, je mag heel dicht bij mij,
zegt de zwaan.

zal je niet boos zijn
als ik toch niet goed durf?
vraagt kol.
nee, ik zal niet boos zijn.
zegt de zwaan.

dan... wil... ik... het... wel...
zegt kol.

de zwaan en kol
stappen naar het water.
ze springen
in het water.

kol zwemt dicht bij de zwaan.
eerst bij de kant van de vijver.
later verder van de kant af.
maar nog dicht bij de zwaan.

hé! kijk! kroos!
pik! pik! pik! mm, lekker!
en daar: nog meer kroos!

kijk eens, zwaan, hoeveel kr...
wil kol zeggen.
maar... waar is de zwaan?

kol schrikt.
de zwaan is niet voor hem.
de zwaan is niet naast hem.
daar is de zwaan:
een heel eind verder!

nee, kol, ik liet je niet alleen,
zegt de zwaan zacht.
jij zwom zo ver van me weg.

kol voelt zijn hart kloppen.
maar hij is ook heel trots.

kijk eens, zwaan!
roept kol plots.
kijk! daar is mijn boom!

zal ik met jou
naar je boom zwemmen?
vraagt de zwaan.

nee, ik durf best alleen!
zegt kol.

kol zwemt weg.
hij zwemt tot bij zijn boom.

nu staat kol aan de kant.
hij zwaait naar de zwaan.
dag zwaan! dag lieve zwaan!
dag kol! tot kijk!
roept de zwaan.

de zwaan zwemt traag weg.
verder en verder.
tot kol haar niet meer kan zien.

het is donker boven de vijver.
ma, pa, broer en zus slapen.
kol niet.
zijn ogen zijn dicht.
zijn lijfje gaat op en neer.
niet vlug, maar traag.

kol slaapt niet.
hij denkt aan de zwaan.
hij denkt aan het kroos.

morgen laat ik zien wat ik durf!
droomt kol.
morgen breng ik
ma, pa, broer en zus
naar **mijn** kroos.